L'enfant-nucléaire

Gaëtane Bélanger

L'enfant-nucléaire

récit

TROIS

Cet ouvrage est publié dans la collection OPALE.

2033, avenue Jessop, Laval (Québec), H7S 1X3
Tél.: (450) 663-4028, téléc.: (450) 663-1639,
courriel: ed3ama@contact.net

Diffusion pour le Canada:

PROLOGUE
1650, boul. Lionel-Bertrand,
Boisbriand (Québec), J7E 4H4
Tél.: (450) 434-0306
Téléc.: (450) 434-2627

Diffusion pour la France
et l'Europe:
D.E.Q.
30, rue Gay Lussac,
75005 Paris France
Tél.: 43 54 49 02
Téléc.: 43 54 39 15

Conseil des Arts du Canada — Canada Council for the Arts

Nous remercions le Conseil des Arts du Canada de l'aide accordée à notre programme de publication

SODEC Québec

et la Société de développement des entreprises culturelles au Québec pour son appui financier.

Données de catalogage avant publication (Canada)

Bélanger, Gaëtane
L'enfant-nucléaire

(Collection Opale)

ISBN 2-89516-051-1

I. Titre. II. Collection: Opale (Laval, Québec).

PS8553.E434E53 2003 C843'.6 C2003-940439-0
PS9553.E434E53 2003
PQ3919.3.B44E53 2003

Dépôt légal: Bibliothèque nationale du Québec
Bibliothèque nationale du Canada
2e trimestre 2003

En page couverture: Jovette Marchessault, *Femme tellurique aux corneilles qu'elle gorge des fruits de l'Arbre de Vie*

Remerciements

Merci à l'amie Madeleine Gagnon pour ses conseils tout au long du manuscrit.

Merci à Lori Hazine-Poisson pour son aide appréciée.

Merci à la grande disponibilité des amis-es qui m'ont soutenue par leurs encouragements.

À ma fille Inga
à ma petite-fille Jessika.

L’enfant-nucléaire,
pressé par le temps,
n’a plus que les jours d’hier...

Assis dans une immensité nue, il a, à perte de vue, tout l'horizon pour respirer, ne pas déchirer les arbres et les fleurs, tout l'horizon pour se rencontrer.

Une peinture majuscule, coups de crayon, de douceur, de filigrane, de cœur d'or. Coups de voie lactée aux regards démesurés, noirs de splendeur.

Brumes de ciel éparpillées sur la toile, tel un paradis chantant.

Des verts de la forêt jaillit la fontaine en gouttelettes de cristal, sous-bois transpercé par la flèche d'un soleil du matin se couchant sous les pieds des fleurs, c'est la forêt enchantée, froide, congelée, de l'enfant-nucléaire errant.
Sa tête ornée de bois de wapiti a la mémoire des anciens des cavernes et celle de ce qu'il était avant le nucléaire, notre mémoire du jour d'hui.

Il regarde l'abeille préparer son miel du demain, la touche, la boit et devient ruche sucrée.

L'autre jour l'enfant-nucléaire a écrit un gros-mot, il l'a senti sur son papier, le mot jurait, alors il l'a brûlé.

Il a pris une autre feuille, il a déposé un tout petit-mot qui sentait très bon, il l'a bu, le chant est sorti seul du bout de sa langue.

Alors la musique est devenue symphonie dans tout son corps, il s'est mis à danser, il n'y pouvait plus rien...

Le chef d'orchestre a été avalé par le petit-mot.

Au bout de ses bois de wapiti, il y a l'aire de l'oiseau, pense l'enfant.

Ne suis-je pas trop statue de sel, femme de Loth ?

Il est Sodome et Gomorrhe, il est ces villes mythiques.

Il est une forêt de sel glacé, une forêt de voie lactée.

Il joue à l'oiseau-volant et traverse l'univers.

Les étoiles tombent en minuscules clochettes de musique, des sons limpides d'eau se posent sur les ailes de l'oiseau-volant.

Ses pieds de sel foulent les pavés de brindilles de pin.

L'enfant croit voler tel l'oiseau sorti de son aire, il pense traverser les villes mythiques incendiées, en réalité, il se trouve dans un goût de miel lacté et devient colonne de sel : femme de Loth.

Pendant ce temps, l'oiseau laisse tomber des gouttelettes nacrées de sel nucléaire.

La forêt s'est avancée un peu vers lui.

Demain, le végétal le voit venir dans une voie lactée magistrale. L'oiseau réintègre son aire.

L'enfant livre sa tête, tend sa bouche vers l'infini à la pluie, fait un recul dans l'horizon nu d'hier pour respirer l'immensité.

Il n'y a plus de bruit. Il y a des sons de laine douce.

Ses pieds sont lourds de plomb, il s'enfonce, s'enfonce !
Sodome et Gomorrhe sont englouties.

Pendant ce temps d'hier, ses pleurs l'enveloppent de grappes de musique.

L'oiseau sort de son nid, sèche les sanglots d'une caresse d'aile.

L'enfant-nucléaire joue à l'oiseau-volant qui, d'un long trait de plume rose, dessine le tableau des galaxies.

Les feuilles cousues de son délire habillent les branches des arbres nus.

Branches brûlées pour cacher leurs ulcères du temps, du maintenant, du temps de Loth.

Il veut se fondre avec l'oiseau, glisser sur les eaux vives du lac.

Il est si frêle, un froissement, une soie mal tendue qui soulève l'ombre.

L'oiseau, d'un autre trait de plume, dessine le soir gelé, suspend son vol, voit la nappe d'airain se briser en milliers d'étoiles, cristal des ciels de nuit filamentés.

Il s'est arrêté de glisser, de peur de se briser sur la brume dormante de l'eau.

L'abeille, dans la ruche sucrée, sourit aux fleurs parfaites.
Cette fois la forêt a fait un grand bond de tigre vers lui.
Le reflet du lac a fondu.

Il cueille la pointe de cristal, l'émiette.

Les notes capricieuses sur lui déversent leur parfum de musique.

Sous cette pluie il se lave, le son l'enveloppe d'un tulle bruissant.

Le temps est absent.
Un coin d'horizon se lève pour respirer, l'oiseau se cache.
L'enfant danse, Loth danse des pas de sel.

Dans l'entretemps, l'enfant joue à l'abeille, il butine toutes les fleurs nacrées.
La musique le frappe comme le labour d'une terre.
Soldat de sel, il tombe renversé.

Écorchure, tige coupée, symphonie inachevée, il marche, tremble, s'embourbe, disparaît dans la bruine des plantes carnivores.

L'oiseau et l'abeille l'abreuvent de rythmes consolants, liqueurs capiteuses. Les gouttelettes de sel le rafraîchissent, un paradis !
Des ondes de laine douce le bercent, il exulte. Il mange une bergamote, l'essence qui s'en égoutte enivre l'abeille couchée dans une fente. Un sillon creusé par le soleil repose dans la forêt gelée.

Il rêve aux vidéoclips d'avant la grande noirceur, la grande tache grise du temps de la mémoire des anciens des cavernes. Il songe aux mots qui sentent le nectar, ceux qui font danser, pleurer des gouttes de Saturne.

Congelé, il ne peut dormir, alors il se promène dans le cosmos, il a beaucoup de plaisir à osciller de constellation en constellation.
Il s'envole de rêve en rêve, de planétaire en planétaire, de rive de terre en rive de terre, celle qu'il laboure.

Il se balance, rase les villes légendaires enfouies, rase les cavernes.
Hop ! d'un bond de tigre, il se retrouve dans la jungle nucléaire, il rit à en perdre ses bois de wapiti.

Il glisse, glisse, glisse, sourit aux arabesques qu'il se promet de faire quand il rencontrera le singe.

Il chevauchera l'imaginaire sur le dos du tigre, s'élancera dans la faille de l'abîme.

Infime coin de chaleur, au sud-ouest de la forêt engloutie, point de cap isolé qui s'avance au-dessus ou peut-être au-dessous de cette étrange vie nouvelle qui le régénère, qui le ramène aux pleines saveurs salées.

Ses dents mordent dans le pain de ruche sucrée, pain de sirop de lave, pain de miel vierge.

La montagne n'a plus existé pour lui depuis les longs temps passés des hiers, des autrefois, des couleurs d'opale, aussi des temps de la femme devenue statue de sel.

Il gémit.

Il est le génie de cet horizon qui n'appartient qu'à lui.

Autrefois, existait un grand homme à la recherche de la pierre angulaire, c'était avant le désert de souffrance, quand le monde ne se posait pas de questions, quand le monde était simplement monde, vide d'arabesques colorées.

En ce temps-là tout était repos, se cachaient des odeurs uniformes, le petit-mot avalé n'existait pas encore...

Il jouait parfois à l'oiseau qui écrivait les temps, ces temps faits d'un trait de plume rose.

Les autrefois étaient des autrefois, les roses-opales étaient des roses-opales.

Ce jour d'hui, les opales de feu sont devenues bleutées du bleu canon des guerres, elles font entendre dans le lointain le bardit * des caissons guerriers.

* Chant de guerre des anciens Germains.

Au loin, ces chants barbares font Boum, Boum. Son cœur est las de la mitraille des canons.
Il est cendré, pareil au temps, à la nuit de sa saumure.

Il n'est plus oiseau-volant, il est poisson-volant couché dans les brindilles de pin salé, il se reconnaît à son souffle.

L'oiseau vole la lumière de l'absolu, il part vers les ailleurs. L'enfant meurt un peu.

Sur ses bois-ramures poussent des airelles, de temps en temps il s'en nourrit.
L'abeille pénètre dans sa bouche, il devient Bayard transpercé par la pointe d'airain et bascule dans la fissure-soleil.
Le singe rit, sautille et enlace ses bois-wapiti.

Tout se heurte.

Entre en lui le vidéoclip des montagnes qu'il ne voit plus, des montagnes qu'il a gardées en souvenir dans le grenier de la douleur du cœur, comme une lumière ravagée par le deuxième recul de la végétation brûlée.

Un abîme, le hurlement des bombes en écho.

L'oiseau-wapiti déploie ses ailes de soie pour cacher le froissement des tourmalines liquides.

L'oiseau réinvente le bleu canon des guerres.

Ensemble ils dansent le lac des cygnes.

Au-dessus des vidéoclips s'évanouit la lumière ravagée, le goût sucré de miel et de lait nacré fond dans la ruche.
L'oiseau dort.
À ses bois se multiplient les grappes d'airelles.

Le tigre du bout de sa queue fait tintinnabuler les cristaux de sel émiettés.

S'en va le maintenant. Le petit-mot qui sent bon suit l'enfant partout.

Les sons de laine douce lui font mordre le pain de lave qui évoque un goût presque oublié... le miel de goutte.

Les yeux du tigre, de l'abeille et de l'oiseau se rencontrent, tout chavire dans une réalité infinie en l'espace de nano-secondes.

L'enfant a saisi le souvenir du passé instantanément, ce qui lui rappelle la science de l'étoile filante et de la bergamote qui enivre l'abeille.

Sa conscience s'ouvre à l'en-dessous et l'en-dessus de ces temps-là. C'est confus !

L'oiseau se lève, revient à son aire d'un bleu rosé, d'un gris tendre, laisse tomber une plume sur la mouillure du lac.

Avant de se poser sur les bois-wapiti de l'enfant, il colore l'aube de son cri qui s'égoutte en pluie.

L'enfant danse sur les villes consumées.

Il lui reste les coups d'or de la voie lactée, les larmes de diamant de sel.

Ses yeux tapissent les hautes futaies.

La femme de Loth se love tel un serpent.

L'enfant tend sa bouche, boit l'autrefois au pied des jours.
Il a un sanglot au souvenir de la nuit de sa saumure quand il était poisson-volant.
Il n'est rien que le rien.

Il n'est plus le grand homme à la recherche de la pierre angulaire qu'il a avalée, il devient noyau.

Il est passé instantanément dans la grande danse du lac, sur la pointe de ses pieds de Saturne.

Son corps limbé de cristaux liquides s'irise et s'éteint au chaud-froid, lumières de soleil, ombres de nuit.

Son corps fond au labour de la terre.

C'est l'apocalypse !

De ses griffes, en une fraction de seconde, le tigre a labouré et lacéré les pieds de l'enfant.

Les sillons s'impriment dans la terre fracassée par le chef d'orchestre.
L'enfant gobé par une fleur de menthe, se montre dans une brisure de soleil.
Il coud les feuilles du délire d'un nouveau vêtement, l'abeille se réjouit.
Il se rhabille aux arbres de branches neuves.

Sodome et Gomorrhe revivent.

La colonne de sel sera innocence.

D'un coup de souffle, l'Acrobate-des-sons froisse l'eau ; les aiguilles de pin valsent un quartier de lune.

Il prend un son dans sa main et l'élève pour le porter aux confins du temps.

Ensuite, vient le désagréable, l'absence de toute couleur, de toute senteur.
Ni magie ni chaleur.

L'enfant ignore pourquoi le goût de suc a déserté les pixels photographiques.
Cela dure un jour, deux, trois...

Il bascule dans la lenteur de l'oubli...

En perdant un bois, une partie de ses données s'est altérée, compressée sur microfilm.

Il devient alors une bête au flanc ouvert et vacille.

En quête des joies mortes, il traverse les résistances de son intégrité perdue.

Le temps des heures n'est plus le même.

Le défilement n'existe plus, ni le bond du tigre.
Seul demeure l'épuisement de la forêt.

Un jet de soleil croise le vol de l'oiseau.
La magie, la musique, les sons, se laissent deviner.
Le rire de l'enfant traverse l'oiseau.

Des gouttes de sève sucrante lui font une chevelure où toutes les abeilles viennent se délecter.
D'un ailleurs, l'oiseau ramène les tendres chants de duvet.

L'enfant-nucléaire les dévore et rythme les délices.

L'oiseau si haut et lui si bas rase les sillons.
Leur incommensurable éloignement lui fait réaliser l'incapacité de comprendre la matière, telle qu'on la lui a apprise.

La distance n'est plus que le demain ou le jour d'hui, l'autrefois ou le petit matin du maintenant et tout et tout, le plus que le plus ou le moins des moins, l'infini, le rien !

Depuis qu'il sait qu'on ne peut parler que de ce qu'on peut contempler, l'enfant-nucléaire regarde du côté de la distance.

Sa pensée ancienne se meurt sous les bombes de guerre, elle s'avance vers les nouveaux mots, vers le secret salé, dans un temps sans temps où la musique se fait de plus en plus grappe et sent la vigne.

De ses yeux de treille sauvage, il regarde la hauteur des montagnes.
Les photoluminescences s'irradient devant son regard.

Le vin a coulé, le ciel tourne au coton-poudre.

Il reste le spectateur du tranchant des ombres sinistres et menaçantes des grands arbres.

Il vit, revit, et veut vivre dans l'autrefois, il est d'hier, il est d'aujourd'hui, il est du demain, il a froid.
Ses ramures se nacrent, il est substance d'arôme.

Il vit son aventure et l'étrangeté de sa vie.

Il a peur de la chaleur, peur de fondre.

Il a le courage de ses rameaux, le courage de conquérir la vie de l'hier et du demain, de l'eau défroissée.

Il rêve au sourire de l'invisible.

L'oiseau juché sur sa tête fixe le chaud du sable.

L'enfant regarde par le trou d'une serrure et fixe les sillons des bêtises du monde.

L'oiseau sombre dans le ravin...

Un mur granité se dessine, devient montagne du passé de l'enfant d'avant.

Une fenêtre de l'autrefois s'entrouvre, il éclate de rire.

La vie se fiance à l'enfant.

Aux confins du bonheur, il s'abandonne à la grandeur de son miel. La merveille l'amène aux étoiles.

Au plus léger déplacement de l'oiseau, il s'enfonce dans le secret des choses sucrées, au goût d'éloignement, de hauteur des montagnes.

L'oiseau perçoit le murmure de plume que dessine le rose. L'enfant se couche avec l'abeille et dérive.

L'abeille fait résonner son nectar dans ces contrées grinçantes, à la recherche des verts foncés, des souvenirs traversés par le vent que romance la lyre.

L'enfant a vu le coucher de lune bien avant son éclipse et le choc des montagnes dans l'interstellaire des astres.

La détresse des notes le précipite dans les déchirures de terre dispersées.

Au mitan du lac gelé il devient faux pli.

Figé, serein, il écoute l'infinitude lui raconter l'oiseau.

Le vol de l'oiseau troue l'air du corps enroué de l'enfant qui s'endort sous l'aile.
Ivre de sons il renaît dans le rêve de la conquête du monde.

Alors qu'il tenait la pierre angulaire, il embrassait l'histoire et se lovait dans ses vagues.
Il chante les douces laines, il rugit, bondit, feule. Un geyser est né, il déchire la froissure de l'onde.
Il fume comme l'ours, sa peau de longs poils dévale en tourmente.

Il gratte le tain du miroir et regarde le verre se salir.
Devant lui défile son existence ancienne, parois savonneuses de lave.
En lui le reptilien se soulève et glisse. Tout se désunit, c'est le chaos.

Il déambule sans l'oiseau, sans ramures.
Tous l'ont abandonné dans son quartier de dunes. Il revient pour mourir un instant dans son champ de course.
Il sait.
Toutes les laines-douces tissent un manteau et le momifient.

Il mange des bouchées d'univers.
L'oiseau instruit de tout revient coudre un lambeau de ramure.

Il fait partie du grand spectacle que tous emportent.
Fugaces, ils coulissent sur le tapis de l'eau.

L'enfant-nucléaire se retrouve dans le fossé, accroupi.
Sous les effilures de l'oiseau, il se déroule dans la boue de l'agonie avec un rire sauvage.

Le miel pique le bout de sa langue, la ruche scintille de prismes sous les rayons de la preuve du fantastique, du fabuleux.

Les cloches hurlent des glas noirs, broient le soleil, les vibrations provoquent le séisme.

Un autre bond de félin se fait entendre.
Derrière, apparaît le tigre métamorphosé en Loth.
Il se sent persécuté.
Il ne veut plus jouer ni à la mort ni à la vie.

Le lac se chiffonne. L'enfant ne veut plus le lisser. Il ouvre la cloche d'airain, dans sa tête le tonnerre des canons, les pas de plomb, les rugissements du tigre, les battements d'ailes de l'oiseau dans la ramure déchirée.

Il se désaltère à l'exquis de l'abeille.

Les laines s'étiolent en aiguilles de pin, en tapis de mousse dorée.

De son souffle naît une fleur, compagne de ses souffrances.

Il est captif des mots de sang et de feu.

Il flotte sur les écumes de sel qui se fêlent.
Dans son pas résonnent les martèlements des cuirassés.

Un papillon diapré se pose comme une porcelaine sur la terre sablée de petits pains.

Dans un grand espace sauvage ouvert aux insectes bourdonnants, il dessine un secret.

Au sein d'une panacée de fleurs, le papillon déguste avec gourmandise les souvenirs brisés de l'enfant.

Le tout se ranime sous les rafales des vents.
Des fragments de tourbillons ont durci de gelée ses mains gantées de griffes pour ne pas mourir, comme les arbres, par ses extrémités.

C'était un enfant au faîte des montagnes rabotées, sillonnées du sel de la rage et des tintements hallucinants.

Il devient carnivore, sans fin ce rêve tourne dans sa tête.

Il saisit le souffle du matin, se lève oiseau-crépuscule.
C'est un autre jour, celui où il traverse le palier de l'indifférence.
Il a envie de silence et de vent.

L'abeille mendie une goutte de rosée.
Il trébuche dans le bleu et le doré, il appuie sa langue sur l'aile de l'oiseau.

Des fils de laine sombre se démaillent et le submergent.

Sous l’emprise de la panique, le cri rauque se fait entendre en écho.
Seule reste l’aile sur le sable.

L’abeille auprès se dore.

À l'écho répond un chant de fumée innocente dans l'aube de glace.
Tous les prismes de la pierre angulaire miroitent.

Elle a des soubresauts qui éloignent de son centre... l'Homme.

L'enfant dort des heures, rêve d'opales, d'embruns, de crevasses et devient femme de Loth. Le cri hantera tous ses rêves futurs.

C’est la guerre, c’est l’intolérable, c’est le passé, c’est lui.

Un désarroi naît dans une détonation d’un bardit de tempête.

C'est l'amer du violon dans l'immensité du lac.
Au centre, le temps d'un coup de fusil, se brise le souffle ensanglanté de la détresse.

Trop d'images, trop de sel, trop de foin, trop de tout l'embrasse...
C'est le délire !

Les temps des hiers, des jours d'hui, dessèchent les vides.
Le redoux apaise toute cette avalanche du passé.
Le violon se brise, c'est la disharmonie.
Un caillou salé roule vers Loth.

Des ocelles de bergamote naissent sur l'aile de l'oiseau qui laisse son empreinte sur la poudre de sel.

L'enfant pousse son deuxième ou son troisième cri, peut-être ?
L'écho rebondit et frappe son visage.
L'écho se fait tigre.
Le cri est joufflu comme un pain de miel bénit, un pain des Pâques.

La pierre angulaire devient immatérielle.
L'aile de l'oiseau l'emporte au-dessus des nids d'aigles de la montagne.

Ce fut l'éclatement du jour et de quelques poignées de fleurs, des poissons-volants, des feuilles-safranées, et des plaines-poussiéreuses...
Un pandémonium !

Suivent alors les parfums et les chants infernaux de la capitale imaginaire des Enfers.
Dans sa tête brûlée un chant plus doux s'infiltre, source de survie.

L'eau vierge se dépose sur la ramure déchirée.
Le bruissement de l'aile sur le sable devient chant de Pâques.
Les paroles cicatrisent son âme bafouée, alors les mots se font clairement entendre.
Gaudeamus...

Je suis un pain de Pâques
Je l'apporte à l'abeille
Pour qu'elle le sucre
Je suis un pain bénit
Cuit sous l'aile de l'oiseau
Un pain de Pâques
Moelleux de laine
De miel rosat
Tissé par les abeilles.

La lune efface les débris du chant.
Le pain fond sous le poids de ses pensées.
Quelques bribes traînent de-ci de-là... une bavure hachurée crée une longue absence de mots, l'enfant reste avec des bouts de rêve, des morceaux du secret de la recette du pain, des rires et des sarcasmes cachés dans les rides de son visage torturé.

Il rompt l'enchaînement des aigreurs, des silences.
Il égare le temps lointain et l'histoire de Loth.

L'oiseau brise le mauvais sort. Avec ses griffes il fouille le mouvement perpétuel de la vie et retrouve des parcelles de l'histoire dans les alvéoles de la ruche.

D'autres miettes de ses pensées traînent suspendues au bout des branches, fruits juteux prêts à éclabousser le monde froid pour le réchauffer du parfum des mots ou des absences de mots.

Surtout ne pas laisser la mort triturer l'absence.

L'absence, demi-sœur jumelle de la mort, avale tout sur sa foulée, l'enfant est terrifié.
Il souffre de demi-ombres.
Ses yeux sont tailladés par des myriades de grains de sable soulevés par le vent orageux de l'histoire des espaces inutiles, des oublis de mots, des oublis de lieux, des oublis de couloirs, des oublis de forêts, murs des villes.

L'absence vient de loin, la mort aussi.

Elles partagent une même intimité, un même linceul, une même complicité.

Il ne veut pas tomber avec le singe, il ne veut pas hurler au gros chat.
Il a peur de glisser dans le bleu du soir, peur de dire les choses aux battements d'ailes.

Les silences sont pressés d'épuiser les pensées crémeuses de l'enfant.

Souvenirs disloqués par le fracas des heures au beffroi de la nuit, qui sonne des exclamations suspectes.

L’enfant avale le peu et le beaucoup de ses rencontres dans son pas isolé.
Il déchiffre les grains du sable de l’avenir.

Plus il marche, plus l’obscurité du futur le faufile.

Il est le receveur de son angoisse.

Il y eut échange de sa superstition contre des sacs de sel. Sa négligence devint orgueil pour quelques fractions de silence, quelques ruptures de vérité nue, quelques trahisons granulées... masque troublant du doute.

Ses racines l'ancrent dans la forêt de salaison, cimetière érigé du désir de Loth.

Exil au sablier de la chute de Sodome et Gomorrhe qui conjugue des égratignures.

Son corps se love, il embrasse la bergamote.

Les verts chamarrés lui apportent le rire.
Le petit-mot sucré griffe sa peau.
Son corps se pétrifie sous le regard d'images tues, d'images agitées imbibées de rosat.

Dans les trous des beignes de Pâques, des croix flottantes, des cuirassés, des combats, des éclats de guerre bleutés, des singes irradiés du bleu, qui se balancent.

Est-ce le cinquième, le sixième jour, ou est-ce la septième nuit ?

Les cuivres se taisent, le silence se fatigue, les objets s'endorment et s'accrochent aux bouquets de fleurs permises. Le feulement du tigre le sépare de l'image vieillie du lac, c'est la nuit.

Le concept de la durée échappe à l'enfant.
L'a-t-il déjà possédé ?
Cercle du temps, piège de l'enfant.

Éclaboussures du tigre, petit-mot avalé, le violon s'éteint, tous les bruits des grands arbres le suivent.
L'enfant avec une foudroyante lucidité conçoit ses pensées, ses énigmes nouées, ses visages d'errances, son anonymat caché au-delà des ramures.

Au découlant, il doute de son apparence, il égare l'agir.
Incertain dans ce corps enroué aux pieds de sel, aux bois de wapiti, l'intrigue le gagne.

Les vents de l'absolu l'effeuillent, les miettes de mensonges se dispersent.

L'oiseau les picore, advient le mirage.

La peau gercée de l'arbre avale le singe.

Les sons s'introduisent dans sa bouche, noient son âme. Il s'évanouit !

Les petits cierges forains des lucioles lui font une couronne de lumière douce.

Il fabule le petit-mot odorant, il rêve qu'il se cache derrière le ridicule.

Transporté par le piment de la joie, il s'éveille.
Dans sa main griffée, l'aile de l'oiseau.

Cette fois, c'est lui qui bondit.
L'arc-en-ciel se compose et dépose ses rubans coloriés dans la forêt drapée de raisins.
L'oiseau-volant retrouve son aile.

Dans son glissement vers les étoiles, il déplace un morceau de vent aux parfums de siècles.
Il pénètre dans les villes sous le sel de la mer Morte.

Le reptilien se couche en spirale sur le lac fripé.
Les tendres camaïeux sous les bottes des cuirassés, deviennent tambours de guerre.

Pendant ce temps l'abeille mange le pain bénit.
Le tigre hérissé l'épie du coin de l'œil.
Son dos s'impose… il est montagne, piégé par la pierre.

L'enfant boit les abeilles de la ruche. Il se sent pain de sucre d'érable, sève rafraîchissante, il en oublie le goût du sel.
Il est épuisé de jouer à Loth et à la femme de Loth.
Au vide intervalle, là où vivent les grands fauves, les abeilles sèmeront le miel de l'éternité dans les moindres replis des arbres pétrifiés, pour qu'ils se marbrent à grandeur de terre.

Aux racines flétrissent, à peine éclos, un obélisque de feuilles, des jujubiers en fruits, des bulles de simagrées... même des lapis-lazulis.

Alors, il trébuche dans les gouttes du sang de l'aurore.

Au point de rosée des tendres matins, les heures furieuses traversent les délices de tapis aux senteurs de cèdres blancs, fléchettes du souffle temporel abandonnées dans la détresse de la nuit.

Le cocon gourmand tisse le chemin de la chenille.

Il ne trouve plus les phrases pour décrire ce qu'il voit, il saute les mots comme jadis les roches de la rivière de son enfance.

Sous l'implacable des combattants, le sol en déchirures.

Il est bête traquée par la fuite du vent.
Il se noie désespérément dans les labyrinthes des lucioles.
L'encre de la nuit écrit sur son corps le chant du criquet.

Sous des monceaux de copeaux de bois, des squelettes de bêtes éventrées, dévorées par les charognards, enterrées dans les forêts décimées.

Les copeaux sont étendus pêle-mêle comme des christs crucifiés, des milliers de fois ou des milliards d'années.

Est-ce la fin de l'univers ? Se souvient-il d'avoir été stalactite ? Non, c'était le singe.
Lui, avait été stalagmite.

Avant ce temps-là, sa peau était lisse, sa couleur éclatante.
Cette image du souvenir le fascine.
Ici, il est lune cachée.

Harassé, il s'endort. Tel le chercheur d'or, il veut trouver le filon.
Suis-je métal précieux ou géode fermée ?
Suis-je racine enfouie ou liseron volubile ?
Suis-je scarabée sacré ou iguane tropical ?
Suis-je… ou bien ?

Les forêts sont les gardiennes de l'homme.
Autrefois, l'homme était forêt.

Maintenant il a perdu ces chansons de feuilles.

Les douceurs angoissantes ont disparu au lieu dit où se jettent les rivières.

Des secousses sismiques le bercent, l'enveloppent un peu plus dans son rêve d'abîme, juste avant que le dernier cercle de sel efface, à tout jamais, les traces de ces villes morbides.

À l'agonie l'enfant se réveille vêtu de mordoré, reprend sa route vers l'infini.

L'oiseau coiffé du bois de wapiti vole la lumière de l'espace. Sous la jupe du nuage il oublie l'ici et le maintenant fossile. Il appartient déjà aux ailleurs.

L'enfant-nucléaire dérive vers une pliure.
Le lac insensiblement l'absorbe dans l'histoire des temps...
Et figent les eaux mortes.

Catalogue des Éditions TROIS

Allard, Francine
Vocalises sur un sanglot, récit poétique, 2003.

Alonzo, Anne-Marie
La vitesse du regard — Autour de quatre tableaux de Louise Robert, essai-fiction, 1990.
Galia qu'elle nommait amour, conte, 1992.
Geste, fiction, postface de Denise Desautels, 1997, réédition.
Veille, fiction, postface d'Hugues Corriveau, 2000, réédition.
...et la nuit, poésie, 2001.

Alonzo, Anne-Marie, et Denise Desautels
Lettres à Cassandre, postface de Louise Dupré, 1994.

Alonzo, Anne-Marie, et Alain Laframboise
French conversation, poésie, collages, 1986.

Alonzo, Anne-Marie, Denise Desautels et Raymonde April
Nous en reparlerons sans doute, poésie, photographies, 1986.

Amyot, Geneviève
Corneille et Compagnie, 1: *La grosse famille*, roman jeunesse, 2001.
Corneille et Compagnie, 2: *Chiots recherchés*, roman jeunesse, 2002.

Anne Claire
Le pied de Sappho, conte érotique, 1996.
Tchador, roman, postface de Marie-Claire Blais, 1998.
Les nuits de la Joconde, roman, 1999.

Antoun, Bernard
Fragments arbitraires, poésie, 1989.

Auger, Louise
Ev Anckert, roman, 1994.

Bélanger, Gaëtane
L'enfant-nucléaire, récit, 2003.

Bernard, Denis, et André Gunthert
L'instant rêvé. Albert Londe, essai, préface de Louis Marin, 1993.

Blais, Jeanne D'Arc
Clément et Olivine, nouvelles, 1999.

Blouin, Claude R.
Carnets d'un curieux — Autour de quatre romancières japonaises, essai, 2003.

Boisvert, Marthe
Jérémie La Lune, roman, 1995.

Bonin, Linda
Mezza-Voce, poésie, 1996.
La craie dans l'oeil, poésie et dessin, 2000.

Bosco, Monique
Babel-Opéra, poème, 1989.
Miserere, poèmes, 1991.
Éphémérides, poèmes, 1993.
Lamento, poèmes, 1997.
Amen, poèmes, 2002.

Bouchard, Lise
Le Tarot, cartes de la route initiatique — Une géographie du «Connais-toi toi-même», essai, 1994.

Brochu, André
Les matins nus, le vent, poésie, 1989.
L'inconcevable, poésie, 1998.

Brossard, Nicole
La nuit verte du parc Labyrinthe, fiction, 1992.
La nuit verte du parc Labyrinthe (français, anglais, espagnol), fiction, 1992.

Calle-Gruber, Mireille
Midis — Scènes aux bords de l'oubli, récit, 2000.

Campeau, Sylvain
Chambres obscures. Photographie et installation, essais, 1995.
La pesanteur des âmes, poésie, 1995.

Causse, Michèle
(–) [parenthèses], fiction, 1987.
À quelle heure est la levée dans le désert?, théâtre, 1989.
L'interloquée..., essais, 1991.
Voyages de la Grande Naine en Androssie, fable, 1993.

Charbonneau, Frédéric
Le jardin clos, vers et proses, 2003.

Chevrette, Christiane

Pain d'Épices *au Royaume de la Voyellerie*, roman jeunesse, 2001.

Ginger Bread *in the Kingdom of the Vowels*, roman jeunesse, traduit du français par Lou Nelson, 2002.

Ô *Pain d'Épices*, roman jeunesse, 2003.

Choinière, Marysc

Dans le château de Barbe-Bleue, nouvelles, 1993.

Histoires de regards à lire les yeux fermés, nouvelles et photographies, 1996.

Le bruit de la mouche, roman, 2000.

Cixous, Hélène

La bataille d'Arcachon, conte, 1986.

Collectifs

La passion du jeu, livre-théâtre, ill., 1989.

Perdre de vue, essais sur la photographie, ill., 1990.

Linked Alive (anglais), poésie, 1990.

Liens (trad. de Linked Alive), poésie, 1990.

Tombeau de René Payant, essais en histoire de l'art, ill., 1991.

Manifeste d'écrivaines pour le 21e siècle, essai, 1999.

Coppens, Patrick

Lazare, poésie, avec des gravures de Roland Giguère, 1992.

Côté, Jean-René

Redécouvrir l'Humain — Une manière nouvelle de se regarder, essai, 1994.

Dahan, Andrée

La jeune fille au luth, roman, 2002.

Daoust, Jean-Paul

Du dandysme, poésie, 1991.

de Fontenay, Hervé

silencieuses empreintes, poésie, 2000.

Deland, Monique

Géants dans l'île, poésie, 1994, réédition 1999.

Delcourt, Denise

Gabrielle au bois dormant, roman, 2001.

Deschênes, Louise
Une femme effacée, roman, 1999.
Le berceau des ombres, roman, 2002.

DesRochers, Clémence
J'haï écrire, monologues et dessins, 1986.

Doyon, Carol
Les histoires générales de l'art. Quelle histoire!, préface de Nicole Dubreuil-Blondin, essai, 1991.

Dugas, Germaine
germaine dugas chante..., chansons, ill., 1991.

Duval, Jean
Les sentiments premiers, poésie, 1998.

Fortaich, Alain
La Rue Rose, récits, 1997.
Momento Mori, roman poétique, 2000.
La dragonne qui avait perdu sa flamme!, roman jeunesse, 2003.

Fournier, Danielle
Ne me dis plus jamais qui je suis, poésie, 2000.

Fournier, Louise
Les départs souverains, poésie, 1996.

Fournier, Roger
La danse éternelle, roman, 1991.

Gagné, Dominic
Fragiles saisons à résoudre, poésie, 2002.

Gagnon, Madeleine
L'instance orpheline, poésie, 1991.

Gaucher-Rosenberger, Georgette
Océan, reprends-moi, poésie, 1987.

Giguère, Diane
Un Dieu fantôme, triptyque, 2001.

Hyvrard, Jeanne
Ton nom de végétal, essai-fiction, 1998.

Kovacs, Stéphan
Une saison étrangère, roman, 2003.

Lacasse, Lise

La corde au ventre, roman, 1990.
Instants de vérité, nouvelles, 1991.
Avant d'oublier, roman, 1992.

Lachaine, France

La vierge au serin ou l'intention de plénitude, roman, 1995.

Laframboise, Alain

Le magasin monumental, essai sur Serge Murphy, bilingue, ill., 1992.

Laframboise, Philippe

Billets et pensées du soir, poésie, 1992.

Latif-Ghattas, Mona

Quarante voiles pour un exil, poésie, 1986.
Les cantates du deuil éclairé, poésie, 1998.
Nicolas le fils du Nil, roman poétique, 1999, nouvelle édition augmentée.

Lorde, Audre

Journal du Cancer suivi de *Un souffle de lumière*, récits, en coédition avec les Éditions Mamamélis, Genève, 1998.
Zami: une nouvelle façon d'écrire mon nom, biomythographie, en coédition avec les Éditions Mamamélis, Genève, 1998.

Martin, André

Chroniques de L'Express — natures mortes, récits photographiques, 1997.

Mavrikakis, Catherine

Deuils cannibales et mélancoliques, roman, 2000.

Meigs, Mary

Femmes dans un paysage, Réflexions sur le tournage de The Company of Strangers, traduit de l'anglais par Marie José Thériault, 1995.
Le temps rêvé: une passion, traduit de l'anglais par Marie José Thériault, roman, 2003.

Merlin, Hélène

L'ordalie, roman, 1992.

Michelut, Dôre
Ouroboros (anglais), fiction, 1990.
A Furlan harvest: an anthology (anglais, italien), poésie, 1994.
Loyale à la chasse, poésie, 1994.

Milićević, Ljubica
Marina et Marina, roman jeunesse, 2002.

mino, hélène
Album d'une voyeuse, roman, 2002.

Miron, Isabelle
Passée sous silence, poésie, 1996.
toute petite est la terre, poésie, 2002.

Mongeau, France
La danse de Julia, poésie, 1996.

Moreau, Manon
Faim, récit poétique, 2000.

Morisset, Micheline
Les mots pour séduire ou «Si vous dites quoi que ce soit maintenant, je le croirai», essais et nouvelles, 1997.
États de manque, nouvelles, 2000.

Ouellet, Martin
Mourir en rond, poésie, 1999.
Babel Rage, poésie, 2001.

Payant, René
Vedute, essais sur l'art, préface de Louis Marin, 1987, réimp. 1992.

Pellerin, Maryse
Les petites surfaces dures, roman, 1995.

Pende, Ata
Les raisons de la honte, récit, 1999.
L'équilibre précaire des choses, roman, 2001.

Piazza, François
L'Exil chronique, poésie, 2002.

Prévost, Francine
L'éternité rouge, fiction, 1993.

Rancourt, Jacques
la nuit des millepertuis, poésie, coédition, 2002.

Richard, Christine
L'eau des oiseaux, poésie, 1997.
Les algues sanguine, poésie, 2000.

Robert, Dominique
Jeux et portraits, poésie, 1989.

Rousseau, Paul
Copiés/Collés, poésie, 2000.

Rule, Jane
Déserts du cœur, roman, 1993, réédition 1998.
L'aide-mémoire, roman, 1998.

Savard, Marie
Bien à moi/Mine sincerly, théâtre, traduction du français et postface de Louise Forsyth, 1998.
LA FUTURE ANTÉRIEURE, trilogie, 2002.

Sedghi, Nazila
Dans l'ombre des platanes, récits, 2001.

Sénéchal, Xavière
Vertiges, roman, 1994.

stephens, nathalie
Colette m'entends-tu?, poésie, 1997.
Underground, fiction, 1999.
l'embrasure, poésie, 2002.

Sylvestre, Anne
anne sylvestre... une sorcière comme les autres, chansons, ill., 1993.

Tétreau, François
Attentats à la pudeur, roman, 1993.

Théoret, France, et Francine Simonin
La fiction de l'ange, poésie, gravures, 1992.

Tremblay, Larry
La place des yeux, poésie, 1989.

Tremblay, Sylvie
sylvie tremblay... un fil de lumière, chansons, ill., 1992.

Tremblay-Matte, Cécile
La chanson écrite au féminin — de Madeleine de Verchères à Mitsou, essai, ill., 1990.

Tremblay-Matte, Cécile, et Sylvain Rivard
Archéologie sonore (Chants amérindiens), essai, ill., 2001.

Varin, Claire
Clarice Lispector — Rencontres brésiliennes, entretiens, 1987.
Langues de feu, essai sur Clarice Lispector, 1990.
Profession: Indien, récit, 1996.
Clair-obscur à Rio, roman, 1998.
Désert désir, roman, 2001.
Le carnaval des fêtes, nouvelles, 2003.

Verthuy, Maïr
Fenêtre sur cour: voyage dans l'œuvre romanesque d'Hélène Parmelin, essai, 1992.

Warren, Louise
Interroger l'intensité, essais, 1999.

Živković, Radmila
De la poussière plein les yeux, nouvelles, 2001.

Zumthor, Paul
Stèles suivi de *Avents*, poésie, 1986.

Achevé d'imprimer
sur les presses de
MédiaPresse inc.
Joliette (Québec)
deuxième trimestre 2003